# Les premières comptines

**0-3 ans**

*des tout-petits*

## Sélection, commentaires
Marie-Claire **Bruley**

## Direction musicale
Chantal **Grosléziat**

## Illustrations

Denis **Cauquetoux** (pages 10, 16, 26, 30, 38)
Christine **Destours** (pages 6, 14, 24, 32, 42)
Stefany **Devaux** (couverture et pages 4, 12, 18, 36, 44)
Candice **Hayat** (pages 8, 20, 22, 28, 34, 40)
Cécile **Hudrisier** (pages 46-57 : gestuelles)

Didier Jeunesse

Pim - pa - ni - cai - lle, Le roi des pa - pi - llons...

1, 2, 3 de bois ; 4, 5, 6 de buis ; 7, 8,

9 de bœuf ; 10, 11, 12 de bouse, Va - t'en à Tou - louse !

# PIMPANICAILLE

Pimpanicaille,
Le roi des papillons,
Se faisant la barbe,
Se coupa le menton.
1, 2, 3 de bois ;
4, 5, 6 de buis ;
7, 8, 9 de bœuf ;
10, 11, 12 de bouse,
Va-t'en à Toulouse !

# MOI J'AIME PAPA

Moi j'aime papa,
J'aime maman,
J'aime mon p'tit chat,
Mon p'tit chien, mon p'tit frère.
Moi j'aime papa,
J'aime maman,
J'aime ma p'tite sœur,
Et mon gros éléphant.

J'n'aime pas ma tante
Parce qu'elle n'est pas gentille,
J'n'aime pas non plus
Mon cousin Nicolas,
Car l'autre jour il m'a volé mes billes
Et m'a cassé mon grand sabre de bois.

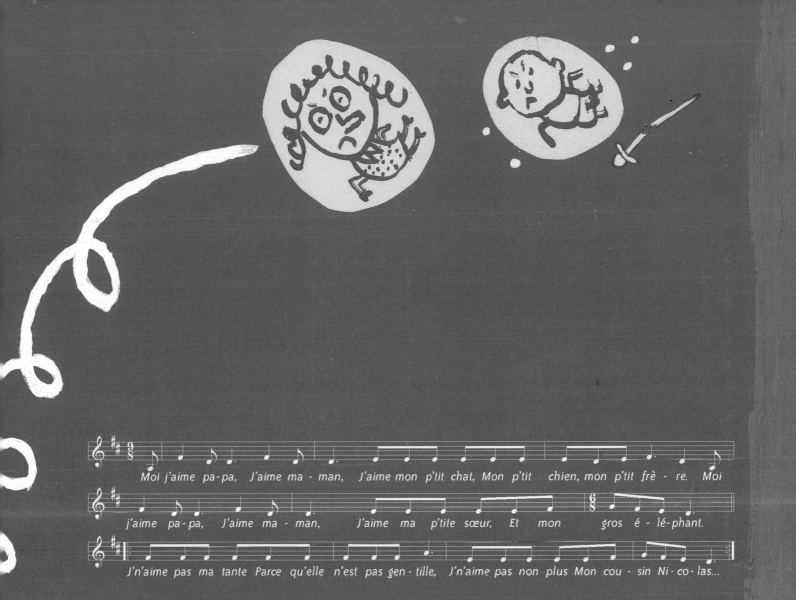

Moi j'aime pa-pa, J'aime ma-man, J'aime mon p'tit chat, Mon p'tit chien, mon p'tit frè-re. Moi j'aime pa-pa, J'aime ma-man, J'aime ma p'tite sœur, Et mon gros é-lé-phant. J'n'aime pas ma tante Parce qu'elle n'est pas gen-tille, J'n'aime pas non plus Mon cou-sin Ni-co-las...

*Bélier bélier boum !*
*Bélier bélier boum !*

# MOI JE M'F'RAI FAIRE

Moi je m'f'rai faire
Un p'tit moulin sur la rivière
Et puis encore
Un p'tit bateau pour passer l'eau.

Moi je m'f'rai faire Un p'tit mou - lin sur la ri - viè - re

Et puis en - core Un p'tit ba - teau pour pa - sser l'eau.

## BATEAU, BATELIER

Bateau, batelier,
Mon bateau s'est renversé
En face d'un épicier
Qui vendait d'la chicorée.
Chicorée sauvage,
La maison est en carton,
L'escalier est en papier,
Le propriétaire est en pomme de terre !

# LE P'TIT GILDAS

Connaissez-vous l'histoire,
Hi hi, ha ha ha,
Connaissez-vous l'histoire,
Du tout petit Gildas
Hi hi, ha ha ha,
Du tout petit Gildas ?

Un jour de grande fête,
Hi hi, ha ha ha,
Un jour de grande fête,
Il lécha tous les plats !

Son papa en colère…
Beaucoup, beaucoup l'gronda !
On le mit dans la cave…
Tout seul avec les rats !

Connaissez-vous l'histoire, Hi hi, ha ha ha,
Connaissez-vous l'histoire, Du tout petit Gildas
Hi hi, ha ha ha, Du tout petit Gildas ?

11

# MON PETIT OISEAU

Mon petit oiseau a pris sa volée (bis)
A pris sa... à la volette (bis)
A pris sa volée.

Il s'est appuyé sur un oranger (bis)
Sur un o...

La branche était sèche, la branche a cassé (bis)
La branche a...

La branche a cassé, l'oiseau est tombé (bis)
L'oiseau est...

Mon petit oiseau, où t'es-tu blessé ? (bis)
Où t'es-tu...

J'me suis cassé l'aile et tordu le pied (bis)
Et tordu...

Mon petit oiseau, veux-tu te soigner ? (bis)
Veux-tu te...

Je veux me soigner et me marier (bis)
Et me ma...

Mon pe - tit oi - seau ___ a pris sa vo - lée Mon pe -

tit oi - seau ___ a pris sa vo - lée A pris sa... À la vo -

le - tte A pris sa... À la vo - le - tte A pris sa vo - lée.

Dan - sons la ca - pu - ci - ne, Y'a pas de pain chez nous, Y'en a chez

la voi - si - ne, Mais ce n'est pas pour nous. You !

# DANSONS LA CAPUCINE

Dansons la capucine,
Y'a pas de pain chez nous,
Y'en a chez la voisine,
Mais ce n'est pas pour nous.
You !

Dansons la capucine,
Y'a pas de vin chez nous,
Y'en a chez la voisine,
Mais ce n'est pas pour nous.
You !

Dansons la capucine,
Y'a du plaisir chez nous,
On pleure chez la voisine,
On rit toujours chez nous.
You !

15

Quand trois poules vont aux champs,
La première va devant,
La deuxième suit la première,
La troisième marche en arrière.
Quand trois poules vont aux champs,
La première va devant.

Quand trois pou - les vont aux champs, La pre - miè - re va de - vant,

La deu - xiè - me suit la pre - miè - re, La troi - sième marche en a - rriè - re.

Quand trois pou - les vont aux champs, La pre - miè - re va de - vant.

En voilà un qui coupe la soupe,
En voilà un qui la goûte,
En voilà un qui la trempe,
En voilà un qui la mange,
Voilà le p'tit coin-coin qui arrive trop tard et ne trouve plus rien,
Il fait coin-coin !

# PASSE LA DORMETTE

*Passe la dormette,*
*Passe vers chez nous,*
*Pour endormir Ninette*
*Jusqu'au point du jour.*

Pa - sse la dor - me — tte, Pa - sse vers chez nous, Pour

en - dor - mir Ni - ne — tte Jus - qu'au point du jour.

# UN PETIT GRAIN D'OR

À Paris, il y a un petit grain d'or, (bis)
Un petit grain d'or
Et l'enfant s'endort
Jusqu'au tout grand jour.
Dors mon cher amour.

À Paris, il y a deux petits grains d'or…

19

# AH ! TU SORTIRAS, BIQUETTE, BIQUETTE

*Refrain*
*Biquette ne veut pas sortir du chou !*
*Ah ! tu sortiras, Biquette, Biquette,*
*Ah ! tu sortiras de ce chou-là !*

*On envoie chercher le chien,*
*Afin de mordre Biquette.*
*Le chien ne veut pas mordre Biquette…*

*On envoie chercher le loup,*
*Afin de manger le chien.*
*Le loup ne veut pas manger le chien,*
*Le chien ne veut pas mordre Biquette…*

*On envoie chercher l'bâton,*
*Afin de frapper le loup.*
*L'bâton ne veut pas frapper le loup,*
*Le loup ne veut pas manger le chien,*
*Le chien ne veut pas mordre Biquette…*

21

Bi-quette ne veut pas sor-tir du chou! Ah! tu sor-ti-ras, Bi-que-tte, Bi-que-tte, Ah! tu sor-ti-

ras de ce chou-là! On en-voie cher-cher le chien, A-fin de mor-dre Bi-

quette. Le chien ne veut pas mor-dre Bi-que-tte, Bi-quette ne veut pas sor-tir du chou! Ah! tu

sor-ti-ras, Bi-que-tte, Bi-que-tte, Ah! tu sor-ti-ras de ce chou-là!

On envoie chercher le feu,
Afin de brûler l'bâton…

On envoie chercher de l'eau,
Afin d'éteindre le feu…

On envoie chercher le veau,
Pour lui faire boire l'eau…

On envoie chercher l'boucher,
Afin de tuer le veau…

On envoie chercher le juge,
Afin de juger le boucher…

On envoie chercher la mort,
Pour qu'elle emporte le juge.
La mort veut bien emporter le juge,
Le juge veut bien juger le boucher…

Biquette veut bien sortir du chou !
Ah ! tu es sortie, Biquette, Biquette,
Ah ! tu es sortie de ce chou-là !

Un bouton,
Un oignon,
Une agrafe,
Je t'attrape !

# À CHEVAL GENDARME

À cheval gendarme,
À pied bourguignon !
La soupe à la moutarde,
Ça vaut mieux qu'l'oignon !

À Paris, sur un petit cheval gris,
À Nevers, sur un petit cheval vert,
À Roubaix, sur un petit cheval bai,
À Issoire, sur un petit cheval noir,
Au pas, au pas,
Au trot, au trot,
Au galop, au galop, au galop,
À Versailles !

VERSAILLES

# LA CASQUETTE DU PÈRE BUGEAUD

*As-tu vu*
*La casquette, la casquette,*
*As-tu vu*
*La casquette du père Bugeaud ?*
*Si tu ne l'as pas vue, la voilà !*
*Elle est sur sa tête.*
*Si tu ne l'as pas vue, la voilà !*
*Y'en a pas deux comme ça.*

*Elle est faite*
*La casquette, la casquette,*
*Elle est faite*
*Avec du poil de chameau.*

As - tu   vu   La  cas - que - tte,   la   cas - que - tte,

As - tu   vu   La  cas - quette  du   père   Bu - geaud ?

Si  tu ne l'as pas  vue,  la voi - là !   Elle est sur sa   tê - te.

Si  tu ne l'as pas  vue,  la voi - là !   Y'en   a   pas deux comme  ça.

Une souris verte passait par là,
Et sa queue traînait par ci.
Celui-ci l'attrape,
Celui-ci la tue,
Celui-ci la mange,
Celui-ci la rôtit,
Celui-ci mange tout,
Et le p'tit n'a rien du tout.
Lèche le plat, mon p'tit, lèche le plat !

RONDIN PICOTIN

Rondin picotin,
La Marie a fait son pain
Pas plus haut que son levain.
Le levain n'a pas levé,
Son four n'a pas chauffé.
Piou !

Migue migue migue meu
Madame est au coin du feu
Qui n'a rien pour son dîner
Qu'un petit cochon grillé,
Gris saucisse, gris saucisson,
Attrapons !

# LES MARIONNETTES

Ainsi font, font, font
Les petites marionnettes.
Ainsi font, font, font
Trois p'tits tours et puis s'en vont.

Faites, faites la claquette,
Les petites marionnettes.
Mettez les mains sur les côtés,
Marionnettes et puis dansez.

Ainsi font, font, font
Les petites marionnettes.
Ainsi font, font, font
Trois p'tits tours et puis s'en vont.

Mais elles reviendront…
Car les enfants grandiront.

Puis elles danseront…
Et les enfants chanteront.

Quand elles partiront…
Tous les enfants dormiront.

Ain - si font, font, font Les pe - ti - tes ma - rio - nne - ttes. Ain - si font, font, font Trois p'tits tours et puis s'en vont. Mais elles re - vien - dront Les pe - ti - tes ma - rio - nne - ttes. Mais elles re - vien - dront Car les en - fants gran - di - ront.

Ain - si font, font, font Les pe - ti - tes ma - rio - nne - ttes. Ain - si

font, font, font Trois p'tits tours et puis s'en vont. Fai - tes,

fai - tes la cla - que - tte, Les pe - ti - tes ma - rio - nne - ttes. Me - ttez les

mains sur les cô - tés, Ma - rio - nnettes et puis dan - sez.

Allons au lit, dit l'endormi.
Attends un brin, dit le lambin.
D'abord soupons, dit le glouton.

## DODO POULETTE

Dodo poulette,
Ma mignonnette.
Faites un tour, un petit tour,
Embrassez tous vos amours
Toujours !

Dodo poulette,
Ma mignonnette.
Si Alice fait dodo,
Elle aura un coco
Tout chaud !

Do-do pou-le-tte, Ma mi-gno-nne-tte. Faites un tour, un pe-tit tour, Em-bra-ssez tous vos a-mours Toujours ! Do-do pou-le-tte, Ma mi-gno-nne-tte. Si A-lice fait do-do, Elle au-ra un co-co Tout chaud !

Alice

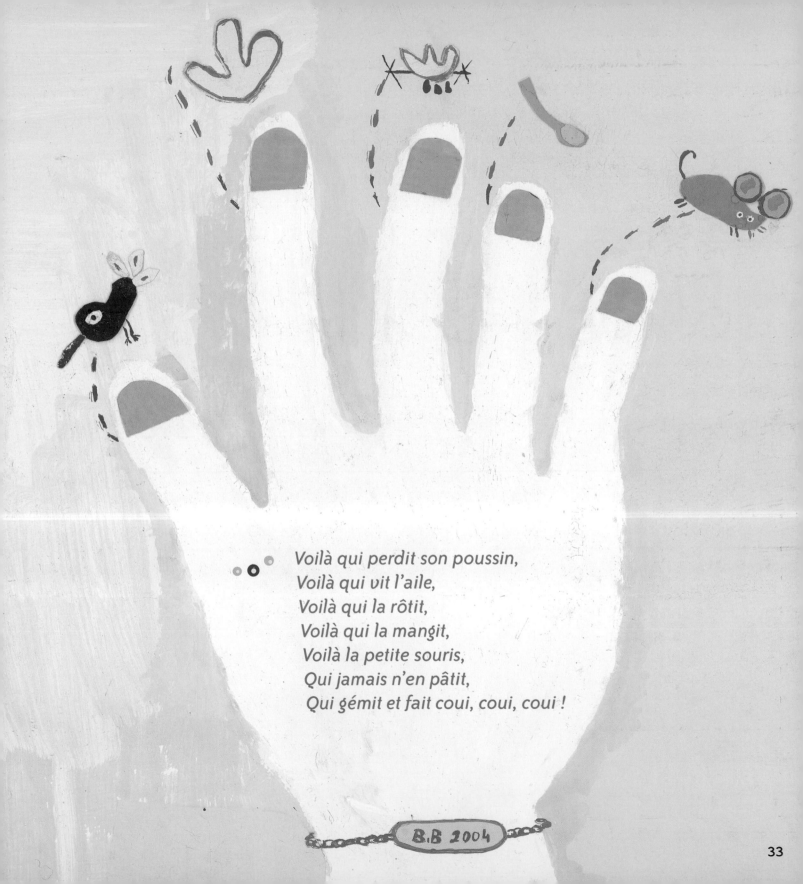

Voilà qui perdit son poussin,
Voilà qui vit l'aile,
Voilà qui la rôtit,
Voilà qui la mangit,
Voilà la petite souris,
Qui jamais n'en pâtit,
Qui gémit et fait coui, coui, coui !

B.B 2004

# QUAND J'ÉTAIS PETITE FILLE

Quand j'étais petite fille, mes moutons j'allais garder (bis)
J'étais encore dans ma jeunesse, j'oubliais mon déjeuner (bis)

Un matin, Maître se lève pour venir me l'apporter (bis)
Tenez, tenez, petite fille, voici votre déjeuner (bis)

Que voulez-vous que j'en fasse, mes moutons sont égarés (bis)
Il sont là-bas dans la prairie, je ne puis les retrouver (bis)

Maître prit sa cornemuse et s'mit à cornemuser (bis)
Au son de la musette, les moutons sont retrouvés (bis)

Ils se sont pris par la patte et se sont mis à danser (bis)
Et au milieu de cette danse, j'ai mangé mon déjeuner (bis)

Quand j'é-tais pe-ti-te fi-lle, mes mou-tons— j'a-llais garder Quand j'é-tais pe-ti-te fi-lle, mes mou-tons— j'a-llais garder— J'é-tais en-core— dans ma jeu-ne-sse, j'ou-bli-
ais— mon dé-jeu-ner J'é-tais en-core— dans ma jeu-
ne-sse, j'ou-bli-ais— mon dé-jeu-ner

35

# MAMAN, LES P'TITS BATEAUX

Maman, les p'tits bateaux
Qui vont sur l'eau
Ont-ils des jambes ?
Mais oui, mon gros bêta,
S'ils n'en avaient pas,
Ils n'march'raient pas !

Allant droit devant eux,
Ils font le tour du monde,
Mais comme la terre est ronde,
Ils retournent chez eux.

Ma - man, les p'tits ba - teaux Qui vont sur l'eau Ont - ils des jam - bes ? Mais

oui, mon gros bê - ta, S'ils n'en a - vaient pas, Ils n'march' - raient

pas !    A - llant droit de - vant eux, Ils font le tour du mon - de, Mais

comme la terre est ron - de, Ils re - tour - nent chez eux.

À la une ! Dans la lune !
À la deux ! Dans les cieux !
À la trois ! Dans mes bras !

P'tit berger
Va te coucher,
Sans souper.
Ferm' ta porte
À clé.

J'ai une vache
Bonne à lait
Bonne à beurre
Bonne à viande
Bonne à fumier
Bonne à tout ce que vous voudrez.
Je la vends
Cent francs,
Beau marchand !

C'est la cocotte blanche
Qu'a pondu dans la grange,
Qu'a pondu un p'tit coco
Pour l'enfant qui fait dodo.

C'est la cocotte grise
Qu'a pondu dans la r'mise…

C'est la cocotte noire
Qu'a pondu dans l'armoire…

C'est la cocotte verte
Qu'a pondu dans l'herbe…

C'est la cocotte brune
Qu'a pondu dans la lune…

C'est la co-co-tte blan-che Qu'a pon-du dans la gran-ge,

Qu'a pon-du un p'tit co-co Pour l'en-fant qui fait do-do.

C'est la cocotte caille
Qu'a pondu dans la paille…

C'est la cocotte rouge
Qui pond dans la citrouille…

41

Minette, chatounette,
D'où viens-tu ?
– Du bois.
Qu'apportes-tu ?
– Des petits chatons.
Comment sont-ils ?
– Tout gris, tout gris, tous gris !

Je fais le tour de ma maison.
– Bonjour papa,
Bonjour maman.
Je descends l'escalier,
Dring !
Je frotte mes pieds sur le paillasson
Et je rentre dans ma maison !

Menton d'or,
Bouche d'argent,
Nez cancan,
Joue rôtie,
Joue bouillie,
Gros œillot,
Petit œillot,
Toc ! le noyau !

# VA, MON AMI, VA

Va, mon ami, va
La lune se lève
Va, mon ami, va
La lune s'en va

Voici la Noël, la grande journée (bis)
Où tous les amants vont à l'assemblée

Le mien n'y est pas, j'en suis assurée (bis)
Il est à Paris, loin de la Vendée

Il est à Paris, loin de la Vendée (bis)
Qu'apportera-t-il à sa bien-aimée ?

Chapelet d'argent pour la fiancée (bis)
Ceinture dorée pour la mariée

# les commentaires

Ces commentaires ont été élaborés par **Marie-Claire Bruley**,
psychologue-psychothérapeute et professeur de littérature enfantine.

Vous y trouverez nombre d'idées pour partager de bons moments
avec votre enfant, complétées d'informations sur :
– l'origine de chaque formulette et ses variantes,
– son sens et sa valeur pour l'enfant,
– les gestes, mimiques et jeux à mettre en scène.

Les paroles ont toujours dansé autour des berceaux. Murmurées, chantées, scandées, jouées, elles accompagnent le petit homme dès l'aube de la vie. Petites formes littéraires jalonnant sa journée, elles l'enracinent dans la culture, dans des moments d'échange privilégiés et d'émotion partagée. C'est à travers ce folklore enfantin étonnamment diversifié que, déjà tout bébé, il fait ses premiers pas en littérature. Une grande variété de petits genres s'offre à lui. Chacun a sa fonction et sa place bien spécifiques dans son univers affectif. À côté des petits contes ou contes-randonnées dont le long déroulement narratif permet d'explorer des sentiments forts et contrastés et de passer de la peur au pur émerveillement, de nombreuses petites formes, brèves le plus souvent, légères, ludiques, exercent une très forte attraction sur l'enfant. Elles lui offrent des moments de pur plaisir par la prégnance de leur rythme, par la magie de la voix tantôt scandée tantôt chantée, par la musique des rimes et leur poésie. Ce sont ces petites formes, si typiques de la première enfance que cet album a privilégiées.

Chantées dans les bras, au-dessus du berceau ou au bord du lit, les berceuses accompagnent l'enfant dans le moment de l'endormissement. Elles sont porteuses de la présence maternelle dans ce temps si particulier où il se sépare inéluctablement du monde qui l'entoure. La voix nue crée une enveloppe sonore qui l'aide à affronter l'immobilité, le silence, le noir, la solitude, demandés par le sommeil. La chanson alors se fait lien entre l'enfant et la mère, même lorsqu'il ne la voit plus. Le balancement régulier de la mélodie et son mouvement rythmé lui apportent la sécurité interne dont il a besoin dans ce passage entre veille et sommeil.

Les enfantines sont très tôt présentes dans la vie des bébés, souvent pendant les soins, sur la table à langer, au moment du bain, après le biberon, dans ces instants d'intimité et de détente qui s'inscrivent autour du corps. Plus tard elles assurent à l'enfant qui grandit un moment affectif fort dans une relation à deux, partagée avec l'adulte. Balancement, sauts, caresses, effleurements, petites tapes, chatouillis, ce langage de tendresse l'assure de l'affection et de l'émerveillement qu'il suscite et de l'amour en retour qu'on a tant de plaisir à exprimer. L'originalité des enfantines tient aux deux registres de langage dans lesquels elles s'inscrivent : celui de la parole et celui du corps. Précisément à l'âge où la langue parlée n'est pas encore tout à fait maîtrisée, le petit enfant entre dans la signification du récit à travers deux codes qui s'éclairent et s'interpénètrent.

Les comptines ravissent par la force et la vivacité des images qu'elles proposent. Le style est rapide et enlevé. La primauté est donnée au rythme, aux rimes, aux assonances et les enfants se délectent de ces petites formes cocasses qui jouent avec la langue et usent de toutes sortes de libertés. Par leurs mots magiques et étranges, elles ouvrent la porte à l'irrationnel. Par les chiffres qu'elles alignent, elles ouvrent à la joie du comptage et à la sécurité d'un ordre universel. Par leur parler rythmé elles offrent une cadence, une pulsation s'adressant directement au corps.

Une chanson commence et le temps semble s'ouvrir. L'enfant est charmé par l'inattendu qui naît de l'alliance de la parole et de la musique.

Comme dans la berceuse, les mots se chantent. Le rythme et la mélodie sont intrinsèquement liés aux paroles et celles-ci se gravent aisément dans la mémoire et la sensibilité. Souvent construites dans une alternance de refrain et couplets, les chansons apportent une structure forte, une régularité paisible, une scansion que l'enfant reçoit par l'oreille mais aussi par tous ses sens.

Toutes ces petites formes patinées par le passé sont souvent considérées comme mineures. Leur modestie, leur insignifiance les ont probablement beaucoup préservées et leur charme et leur fraîcheur ont un éclat qui ne s'est pas altéré à travers les slècles. Ce folklore enfantin, universel et permanent, garde une place privilégiée dans la transmission des générations. Il réveille la mémoire, rappelle le temps béni des premières années, ravive en chacun l'enfant qu'il a été et éveille le désir de transmettre à son tour rimes et chansons qui ont été sources de si profond plaisir. Il introduit l'enfant dans la magie du moment.

## Pimpanicaille
page 4

Le succès de cette comptine vient de son côté farfelu. Comment ne pas s'amuser de ce parler rythmé très marqué, du nom *Pimpanicaille* à la sonorité si éclatante, des rimes sans queue ni tête ? Comme toute comptine, celle-ci invite les enfants à la fête du langage : ils y goûtent la liberté de la langue et la saveur d'un récit drôle et mystérieux.

À la fin, les chiffres donnent à la comptine une cadence plus enlevée et apportent aux petits le plaisir du comptage. En effet, ceux-ci puisent dans la régularité et l'ordre immuable des chiffres qui défilent une sécurité interne, une assise qui les assurent du bon ordre de l'univers.

## Moi j'aime papa
page 6

Aimer, ne pas aimer : la vie affective des tout-petits oscille entre ces deux pôles. Ils n'ont pas appris encore l'art du compromis nécessaire à toute vie relationnelle et leurs sentiments très entiers se partagent entre l'amour et la haine.

Autre particularité de la sensibilité enfantine, celle de mettre au même niveau l'amour porté à ses plus proches et celui ressenti pour les animaux familiers qui partagent la vie quotidienne, ainsi qu'à certains objets inanimés à qui ils vouent une grande passion. L'animisme enfantin prête une âme à toute chose et aime ainsi chacune à égalité.

Le rythme de la chanson, par son tempo martelé et la césure de son phrasé, exprime d'ailleurs parfaitement ce caractère tranché, extrême des sentiments enfantins.

## Bélier bélier boum !
page 7

La tradition orale a su préserver de toutes petites formes littéraires mettant en jeu le corps du petit.

Ici, adulte et enfant deviennent partenaires et adversaires. Ils se font face et s'affrontent.

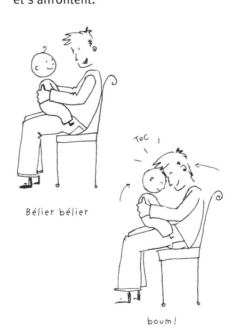

Bélier bélier

Toc !

boum !

Au rythme du mot *bélier* scandé par l'adulte, chacun avance son visage vers l'autre. À l'image des béliers qui se mesurent l'un l'autre front contre front, cornes à cornes, l'adulte et l'enfant viennent cogner doucement leurs fronts l'un contre l'autre.

C'est l'apprentissage pour le petit des limites à mettre dans sa propre force physique. Ici l'agressivité est autorisée à la condition qu'elle soit maîtrisée. Le jeu, et le jeu seulement, permet cet affrontement dans lequel l'enfant découvre l'autre comme limite à sa propre puissance.

## Moi je m'f'rai faire
page 8

Ce refrain n'est en réalité qu'une version enfantine de *V'là l'bon vent, v'là l'joli vent* : une chanson plus connue à la tonalité nostalgique racontant l'histoire d'un fils de roi ratant le canard noir, tuant le blanc. Celle-ci connut au cours de son histoire de nombreuses variantes de son refrain. Voici les paroles du plus souvent chanté :

*V'là l'bon vent, v'là l'joli vent*
*V'là l'bon vent, ma mie m'appelle,*
*V'là l'bon vent, v'là l'joli vent*
*V'là l'bon vent, ma mie m'attend.*

La légèreté de la formule enfantine *Moi je m'f'rai faire*, la miniaturisation du tableau créée par les termes *p'tit moulin, p'tit bateau*, la joie paisible de la fragile embarcation voguant sur l'eau ont donné à cette unique strophe suffisamment d'unité pour qu'elle devienne chanson à part entière pour le plus grand plaisir des petits.

## Bateau, batelier

page 9

Le thème de l'eau et du bateau, encore présents dans cette enfantine, est ici prétexte à un jeu de balancement. Le regard suspendu au visage de l'adulte, l'enfant assis à califourchon sur ses genoux se laisse aller à la joie du bercement.

Par ailleurs, son ton parlé-chanté très apprécié des enfants se retrouve dans de nombreuses comptines.

Le classicisme des assonances — qui veut, dans notre folklore, qu'un propriétaire soit en pomme de terre, une maison en carton et un escalier en papier – et la magie des images ainsi créées expliquent sa popularité.

Bateau, batelier,
Mon bateau s'est renversé
En face d'un épicier
Qui vendait d'la chicorée.
Chicorée sauvage,
La maison est en carton,
L'escalier est en papier,

Le propriétaire
est en pomme de terre !

## Le p'tit Gildas

page 10

Si comptines et chansons destinées aux très jeunes enfants évoquent le plus souvent des événements heureux ou cocasses de la vie, d'autres en rappellent aussi les moments difficiles. La cruauté de ce petit récit trouve sa source dans la logique implacable qui va de la bêtise à la punition, sans recours possible, sans espoir d'indulgence. Elle tient aussi à la disproportion entre la légèreté de la faute et l'horreur du châtiment infligé.

Pétrie de naïveté mais aussi d'un certain sadisme enfantin, cette chanson, loin de traumatiser les enfants, éveille leur curiosité et leur donne tout loisir de se moquer. Les *hi hi, ha ha ha* sont éloquents et montrent clairement qu'il s'agit moins de s'identifier au p'tit Gildas que de le montrer du doigt et de se laisser aller au plaisir de la raillerie.

Cette chanson rappelle étrangement le recueil populaire, connu de tous les petits Allemands, *Der Struwwelpeter,* écrit par Heinrich Hoffmann et dont le titre français est *Crasse-Tignasse.* Familiers outre-Rhin, ces petits poèmes avertissent très crûment les enfants des conséquences parfois dramatiques de leurs actes.

## Mon petit oiseau

page 12

Le récit si expressif du petit oiseau prenant sa volée raconte une aventure commune à tous les bébés : dans une succession d'images très concrètes, cette chanson dit la joie de se lancer, puis l'enchaînement possible des mésaventures dès qu'il s'agit de tomber.

L'importance que l'enfant accorde à la moindre de ses blessures, fût-elle une petite égratignure, les rituels auxquels il est attaché : découvrir l'endroit qui lui fait mal, souffler pour soulager la douleur, soigner impérativement tout bobo, vont trouver une mise en scène parfaite à travers chacune des strophes de la chanson.

L'écriture elle-même, dans la répétition constante de l'expression *À la volette*, réjouit les tout-petits et leur donne matière à repérer ou répéter ces sonorités savoureuses.

Ici, la version chantée fait dialoguer deux enfants, ce qui permet de s'identifier à l'un ou à l'autre.

## Dansons la capucine

page 14

Dérivé de la révolutionnaire *Dansons la carmagnole*, *Dansons la capucine* s'adresse, comme toutes les rondes, aux enfants plus grands organisant déjà leurs jeux en petites sociétés. Il faut, pour danser la ronde avec plaisir, que l'enfant sache faire des pas sur le côté et synchroniser son rythme à celui des autres. Quand on n'a pas encore trois ans, ceci reste difficile ! Mais cette chanson est si populaire, si connue, si aimée des petits enfants pour son *piou* ou *you* final, qui les fait s'accroupir dans une descente amusée sur eux-mêmes, que l'on peut inventer d'autres rondes plus faciles : ou bien l'on tourne avec le petit enfant en le tenant par les deux mains, ou bien l'on danse sur soi-même, le bébé dans nos bras, enchanté du tourbillon dans lequel on l'entraîne.

## Quand trois poules vont aux champs

page 16

Le thème de la poule est très présent dans la littérature écrite et orale destinée aux jeunes enfants, tant dans les petits contes, les chansons, les berceuses, les comptines, les enfantines que dans les albums.

Dans cette formulette, il sert une vérité apparemment banale (*la première va devant, la deuxième suit la première...*), mais le petit enfant, ravi par l'image des trois poules se suivant à la queue leu leu, prend plaisir à les compter, les dénombrer, les situer chacune par rapport aux deux autres. Il apprend ainsi à repérer sa propre place au sein d'un groupe, dans sa fratrie ou à la crèche.

Peut-être la leçon majeure de cette ravissante formulette est-elle d'aider à prendre conscience que, quel que soit son âge, la place que l'on tient dans sa famille ne changera pas : même en grandissant, le second suivra toujours l'aîné, et il précédera aussi toujours celui qui vient derrière lui. Découvrir ainsi son appartenance à un tout permet d'organiser le monde et de s'y situer.

L'interprétation musicale, qui fait jouer les voix les unes par rapport aux autres dans l'espace, peut aussi inviter l'adulte et l'enfant à la reprendre en mouvement.

## En voilà un qui coupe la soupe

page 17

Les enfantines égrenées sur les cinq doigts de la main composent une saynète dans laquelle cinq petits personnages se partagent l'action. Le petit dernier, le riquiqui, le rin-couincouin, le p'tit Glinglin, celui qui n'a plus rien et qu'on laisse mourir de faim quand les autres ont le ventre plein, est celui, comme dans les contes, auquel le petit enfant

s'identifie spontanément : ici, *le p'tit coin-coin arrive trop tard, ne trouve plus rien et fait coin-coin !*

Cette enfantine-ci relate aussi la manière dont on mangeait la soupe à la campagne. En effet, la coutume voulait qu'on la coupe ou avec du lait ou avec du vin et qu'on y mette à tremper du pain pour l'épaissir. C'était parfois l'unique plat du repas.

## Passe la dormette
page 18

Ce n'est pas le marchand de sable qu'évoque cette berceuse mais une bonne vieille femme que l'on nomme dans l'ouest de la France la Dormette ou l'Endormette. C'est elle qui, à la nuit tombante, vient verser le sable et le sommeil dans les yeux des enfants. Elle est aussi parfois la fée Dormette comme on l'entend sur le CD, petite flûte s'approchant doucement et rôdant autour du berceau pour endormir l'enfant.

## Un petit grain d'or
page 19

Ce petit grain d'or n'est autre que l'enfant lui-même ! Rien n'est trop beau pour le célébrer et l'image évoque ce qu'il y a de plus petit et d'infiniment précieux. Mais le temps passé à

l'endormir peut être long et la patience de la mère a besoin d'être nourrie par la répétition de la chanson et la succession des couplets. Le comptage des grains, par sa régularité, rassure l'enfant dans ce passage entre veille et sommeil.

## Ah ! tu sortiras, Biquette, Biquette
page 20

Cette chanson, structurée comme une randonnée, se retrouve aussi sous forme de conte, dans de nombreuses régions du monde. Elle déroule avec une grande logique la désobéissance de chacun des personnages et sa conséquence pour le voisin. L'enchaînement des événements s'emboîtant les uns les autres en une mécanique bien huilée plaît aux enfants. En effet, ceux-ci sollicitent leur mémoire, s'amusent à anticiper, en se souvenant, et s'approprient finalement ce long récit régulier et ordonné qu'ils savent très vite par cœur.

Les versions sont nombreuses et ce sont parfois le juge, le diable ou la mort qui viennent finalement renverser le cours des événements et... le sens de la chanson.

## Un bouton, un oignon
page 24

Ce petit jeu léger et fugitif consiste pour l'adulte à toucher de son index le ventre, puis la poitrine, et enfin le cou du petit enfant.

Un bouton,

Un oignon,

Une agrafe,

Je t'attrape !

Il s'achève en apothéose par une farce dans laquelle l'adulte pince le nez de l'enfant puis fait semblant de le faire réapparaître sous ses yeux entre deux de ses doigts. Il n'est pas rare alors de voir l'enfant vérifier avec sa main si son nez est bien toujours à sa place !

Cette enfantine très ancienne évoque l'habit d'autrefois : le bouton de la redingote ; l'oignon, la montre bombée portée sur la poitrine au bout d'une chaîne ; l'agrafe du col ou du nœud papillon.

## À cheval gendarme

page 25

L'originalité de cette version, en forme de pot-pourri à trois temps, confirme la grande liberté de la tradition orale dans sa transmission à travers les générations.

Voici la version la plus ancienne de cette sauteuse dont l'origine semble remonter à la guerre de Cent Ans :

*À cheval gens d'armes,*
*Partons pour Dijon !*
*Allons en campagne,*
*Les dragons y sont !*

De la campagne militaire à la campagne où les raisins sont bons (encore une autre version), de la capitale de la Bourgogne où s'affrontèrent les armées et qui fut aussi rendue célèbre pour sa spécialité gastronomique, les chemins que

prend la tradition à travers les ans sont bien imprévus, insolites.

Autre surprise, l'irruption dans cette version d'une autre sauteuse très connue qu'on peut faire durer et enrichir à merci :

*À Paris, sur un petit cheval gris ;*
*À Rouen, sur un petit cheval blanc ;*
*À Toulouse, sur un petit cheval rouge...*

À Paris, sur un petit cheval gris...
Au pas, au pas,
Au trot, au trot,
Au galop, au galop, au galop,

À Versailles !

Deux comptines se sont rencontrées pour en créer une troisième dont la chute (*Verse-Aïe !*) illustre le mouvement de la calèche versant sur le côté.

## La casquette du père Bugeaud

page 26

Inséparable de l'histoire de la conquête d'Algérie, le père Bugeaud, par la coiffure militaire insolite qu'il s'était confectionnée pour se protéger des rayons du soleil, provoque la verve hilare des soldats : sa casquette est désormais chantée sur l'air de *La marche des zouaves*.

Si cette chanson appartient aujourd'hui au répertoire enfantin, c'est sans-doute à cause de cette casquette qui se dérobe au regard, que l'on cherche et qui réapparaît, réactivant le plaisir jamais épuisé du jeu des apparitions et des disparitions.

## Une souris verte passait par là

page 28

Comme chacun sait, les souris se faufilent partout. Celle-ci surgit sur l'épaule de l'enfant, se glisse le long de son bras et, pour finir, prend un chemin très sinueux entre ses doigts écartés. Puis lorsque le pouce réussit à attraper la souris verte, le jeu de doigts traditionnel commence. Il se conclut par le petit doigt de l'enfant venant chatouiller le creux de sa main, comme pour y lécher le fond du plat. Il est important que l'adulte saisisse

*Une souris verte passait par là,*
*Et sa queue traînait par ci...*

*Celui-ci la mange...*

*Et le p'tit n'a rien du tout.*

*Lèche le plat, mon p'tit, lèche le plat !*

fermement chaque doigt de l'enfant. En effet, pour celui-ci, le plaisir consiste à se sentir tenu avec vigueur. La tentation chez l'adulte est souvent d'effleurer légèrement et trop rapidement chacun des doigts, or l'enfant dans ce cas-là ne ressent ni le plaisir sensuel, ni la sécurité de cette prise.

## Rondin picotin

page 28

Cette ronde ne se chante pas mais se dit dans un parler très rythmé, sur lequel les enfants scandent leurs pas et qui l'apparente aussi au monde des comptines. Comme pour *Dansons la capucine,* c'est la syllabe finale et l'accroupissement qu'elle appelle qui amusent tant les très jeunes enfants. En voici une version très proche, plus cocasse :

*Rondin Picotin*
*La Marie a fait son pain*
*Pas plus gros que son levain.*
*Le levain était moisi*
*Et son pain tout aplati.*
*Tant pis !*

## Migue migue meu

page 29

Le personnage féminin décrit dans cette comptine est une sorcière affamée par un repas trop léger. Le petit cochon grillé peut d'ailleurs être remplacé dans d'autres versions par un crapaud. Cet univers un peu effrayant est accentué par les formules incantatoires *migue migue meu* et *grisaucisse grissaucisson* qui rajoutent encore à la peur.
Cette formulette se prête à différents jeux, dont ce jeu d'attrape : l'adulte tient dans sa paume la main ouverte de l'enfant et la caresse tout au long

du récit. Au mot *attrapons,* l'enfant retire rapidement sa main avant que celle de l'adulte ne l'ait saisie. Souvent l'enfant, trop prudent, a tendance à cacher sa main derrière son dos alors que la formulette est à peine commencée. Le jeu est alors trop vite interrompu et c'est l'occasion pour lui d'apprendre à gérer sa peur et à se confronter à la tension grandissante du récit tout en mesurant le moment le plus juste pour retirer sa main.

## Les marionnettes

page 30

Les paroles, gestuelles et mélodies de cette chanson diffèrent beaucoup tant elle est connue et fréquemment jouée avec les petits.
Ce recueil propose deux versions différentes par les paroles et la musique, mais deux versions invitant chacune l'enfant à jouer le rôle de la marionnette et à danser.
Auprès des plus petits, la popularité de la chanson tient au jeu des mains qui dansent si joliment devant les yeux, qui se cachent derrière le dos et qui finalement réapparaissent pour leur plus grande joie. Un jeu inépuisable et jubilatoire, vieux comme le monde !

## Allons au lit, dit l'endormi

page 32

Placée en introduction de la berceuse *Dodo Poulette*, cette formulette, ou rimaillerie, fait partie de celles, rares à nous être parvenues, qui émaillaient la journée du jeune enfant autrefois. En effet, la plupart d'entre elles se disaient dans la langue du pays, en patois, et perdent dans la traduction beaucoup de leur charme et de leur drôlerie. Elles pouvaient parler, avec humour ou poésie, de la saison, des us et coutumes, des travaux de la maison ou des champs. Elles situaient une action, expliquaient un événement, proféraient une sagesse, mais aussi on les répétait fréquemment, régulièrement, aidant ainsi l'enfant à s'en emparer et à mieux parler.

## Dodo Poulette

page 32

Apparemment très simple, cette berceuse est pourtant faite d'emprunts à plusieurs autres berceuses, ce qui explique le caractère contrasté des deux couplets. Dans le premier, la fillette est vouvoyée, choyée, bercée du vœu qu'elle puisse tout au long de ses jours embrasser tous ses amours. Dans le deuxième, elle redevient l'enfant du quotidien à qui il est promis une récompense si elle dort bien.

Il existe une troisième version, dont la mélodie finale diffère et qui dit :
*Dodo Poulette, dodo fillette,*
*Si l'enfant s'éveille,*
*On lui coupera l'oreille,*
*Mais s'il ne s'éveille pas,*
*On ne la lui coupera pas.*
Ici, c'est tout bonnement la menace qui endort l'enfant !

## Voilà qui perdit son poussin

page 33

Si ce jeu de doigts amuse par sa très jolie écriture et par sa suite de rimes en *i*, on ne peut s'empêcher de sourire devant la forme verbale *mangit* qu'il a plu à la tradition de transformer pour le plaisir de la rime. Cette entorse à la grammaire rappelle peut-être ces premiers passés simples apparaissant dans le langage des enfants et qu'ils déforment sans le savoir lorsqu'ils entreprennent de raconter un récit ou une anecdote, mélangeant les terminaisons en *i* et en *a*, pour le plus grand plaisir des adultes.

## Quand j'étais petite fille

page 34

Si cette chanson, qui peut sembler destinée aux plus grands, apparaît dans ce recueil orienté

vers la petite enfance, c'est surtout pour le plaisir des mères et de toutes celles qui bercent et chantent. Souvent en effet, c'est pour soi que l'on chantonne et peu importe alors de quel répertoire est tirée la chanson ! Partager la vie des tout-petits ravive chez l'adulte la mémoire de sa propre enfance et la femme décrite ici se souvient du temps où elle était petite bergère. Mais le rappel d'une double faute vient habiter son esprit : l'oubli de son déjeuner et, le jour même, la perte de ses moutons. Est-ce la bonté du maître ou le pouvoir de la mémoire à transformer toute chose qui métamorphose en un tableau enchanteur le dénouement de cette mésaventure ?

L'accompagnement instrumental évoque une musique de village dans la tradition des chansons à danser.

## Maman, les p'tits bateaux

page 36

L'aplomb avec lequel cette chanson affirme tout le contraire de la réalité, sans même qu'une once d'humour ou que le ton de la plaisanterie ne se fassent sentir, déconcerte souvent les enfants. Et la question de la chanson (*les petits bateaux ont-ils des jambes ?*) en entraîne bien d'autres : une chanson peut-elle mentir ? Mentir à un enfant qui pose une question. Et les grandes personnes en chantant croient-elles ou ne croient-elles pas les paroles ?

Cette chanson pour eux est souvent source de réflexion et leur permet d'explorer la complexité qui sépare et les nuances qui habitent les mondes du mensonge et de la vérité de la fantaisie et de la réalité.

L'interprétation musicale se termine par une question, laissant au petit auditeur le soin de répondre comme il le veut.

## À la une ! Dans la lune !
page 37

À la une !
Dans la lune !

À la deux !
Dans les cieux !

À la trois !
Dans mes bras.

Dans cette enfantine c'est à la fois le plaisir d'être lancé en l'air, l'ivresse du saut et l'expérience enivrante de la hauteur qui sont proposés à l'enfant. Les sensations sont fortes et l'excitation croissante. Le risque est au cœur du jeu et l'enfant aime s'y confronter à la mesure de la confiance qu'il met dans les bras qui le lâchent et le reçoivent.

## P'tit berger

page 38

Ce jeu de doigts frappe par sa concision. L'action est décrite avec une extrême sobriété et le jeune enfant entre avec aisance dans une écriture aussi dépouillée.

Sur le CD, le parti pris de répéter les rimes et enfantines rappelle combien les enfants apprécient que leur soient rejouées plusieurs fois ces formulettes si vives et rapides. Le plaisir pris à voir jaillir une histoire de son propre corps ne se goûte pas en une seule fois et c'est souvent par un *encore !* que se clôt ce petit jeu.

A clé.

## J'ai une vache
page 39

Ce petit récit met en scène le marché à bestiaux et le traditionnel *tope-là* qui conclut une vente. L'adulte scande le texte en tapant à chaque vers dans la main de l'enfant.

Dans la version chantée sur le disque, l'enfantine se termine par le jeu des « mains chaudes » qui

J'ai une vache
Bonne à lait,
Bonne à viande...

Je la vends cent francs,

Beau marchand ! Beau marchand !
Beau marchand !

consiste à empiler les quatre mains des deux joueurs les unes sur les autres et à faire revenir celle placée tout en dessous sur le dessus de la pile, et ceci de plus en plus vite.

Voici une autre version que l'on termine en chatouillant la main de l'enfant :

*J'ai une vache*
*Bonne à lait*
*Bonne à beurre*
*Bonne à viande*
*Bonne à tout ce que vous voudrez.*
*Quand me la paierez-vous ?*
*À la mi-août, à la mi-août, à la mi-août…*

## C'est la cocotte blanche

page 40

Cette berceuse touche par la simplicité du thème et de la forme. Les couplets s'y succèdent, identiques dans leur structure et leur narration. Seule la couleur de la cocotte change et avec elle la rime. C'est cette différence qui devient jeu, fantaisie : elle surprend l'enfant qui l'attend avec bonheur. Les voix de l'homme et de la femme se mêlent ici dans un même concert au-dessus du berceau.

## Minette chatounette Minette chardonnerette

page 42

Voici deux versions d'une même enfantine.

L'une met en scène une chatte, revenant du bois sans doute après avoir mis bas ses petits, et les ramenant dans son cadre familier où chacun s'extasie. L'autre récit, identique, s'adresse à la femelle du chardonneret. Les diminutifs utilisés expriment la tendresse éprouvée pour l'animal mais aussi lors de la découverte, toujours émouvante, des petits qui viennent de naître.

Chacune des deux se présente sous forme de dialogue. Aussi peut-on, comme dans la version chantée sur le CD, la dire avec l'enfant s'il est assez grand.

## Je fais le tour de ma maison

page 43

Voici un grand classique, connu et réclamé des enfants.

Ici, le visage se fait maison, rappelant les premiers dessins des enfants où, à l'inverse, la maison devient visage, avec des yeux-fenêtre, une porte-bouche, un toit-coiffure.

La saynète est amusante et puise sa source au cœur du quotidien. Que le visage puisse être ainsi le théâtre d'une petite scène de retrouvailles permet aux enfants de découvrir de façon vivante une partie de leur corps difficile à repérer dans les différents éléments qui la composent.

*Je fais le tour de ma maison.*

*– Bonjour papa,*

*Bonjour maman.*

*Je descends l'escalier,*

*Dring!*

*Je frotte mes pieds sur le paillasson*

*Et je rentre dans ma maison!*

Menton d'or,

Bouche d'argent,

Nez cancan,

Joue rôtie,

Joue bouillie,

Gros œillot,

Petit œillot,

Toc ! le noyau !

## Menton d'or
page 43

Voici une autre enfantine de visage. Celle-ci use dans son début de qualificatifs rares et précieux exprimant la fascination qu'exerce sur l'adulte la beauté du visage enfantin. Puis suivent des expressions plus triviales, évoquant les joues rouges et chaudes de sommeil juste après le réveil, à moins que les qualificatifs de *bouilli* et *rôti*, à travers cette évocation culinaire, n'expriment le désir enfoui mais jamais lointain de l'adulte de croquer ces bonnes joues-là !

Quoi qu'il en soit, ces expressions cocasses évoquant la frimousse irrésistible de l'enfant et son pouvoir séducteur, étonnent et font rire.

Il en existe d'innombrables variantes (*menton fleuri, guili, guili, guili !* ; *menton d'buis* ; *menton d'argent, kiri, kiri, kiri !*)

## Va, mon ami, va
page 44

On peut s'étonner de voir ce recueil se terminer par une chanson d'amour, mais celles qui bercent ou qui chantent souvent les affectionnent et les ont aux lèvres quand ils s'occupent du bébé ou vaquent aux tâches quotidiennes. Ces chansons participent de la vie de la maisonnée et éveillent l'oreille mais aussi tous les sens de l'enfant à leur beauté souvent nostalgique. Chargées d'espoir ou lourdes de désillusions, pétries d'expérience humaine, elles nourrissent nuit et jour sa sensibilité.

Celle-ci, originaire de l'ouest de la France, semble dans ses versions les plus anciennes se situer durant les feux de la saint Jean, mais les pratiques profanes de cette fête ne plaisaient pas toujours à l'Église. On peut ainsi comprendre le déplacement progressif de la chanson à la Toussaint, puis à Noël.

Ici la fiancée chante avec assurance les cadeaux qui vont jalonner son attente : le chapelet que le fiancé offre à sa promise puis la ceinture dorée remise pour le mariage. Paris, le lieu idéalisé d'où il est possible de rapporter des cadeaux aussi précieux à sa bien-aimée, aide à supporter l'absence de son ami.

# Comptines et chansons

### aux éditions Didier Jeunesse

*Dans la même collection*

## Collection *Pirouette*

Une collection de référence reconnue par les crèches et les maternelles. Les comptines traditionnelles sont mises en images avec une grande originalité par des illustrateurs de talent : *Un grand cerf…* de Martine Bourre, *Une poule sur un mur…* de Stefany Devaux, *Une souris verte…* de Charlotte Mollet, *Les petits poissons dans l'eau* de Christine Destours, etc.

## Collection *Polichinelle*

Des livres-disques pour les tout-petits où musiciens, conteurs, chanteurs et illustrateurs s'associent pour raconter sur des musiques originales des histoires à mimer et à chanter : *Oh hisse Petit Escargot ! Sur le dos d'une souris, KaraBistouille, L'est où l'doudou d'Lulu ?, Je veux maman !, Les amoureux du p'tit moulin, Lulu, la mouche et l'chat.*

## Collection *Comptines d'aujourd'hui*

Chansons traditionnelles et chansons d'auteur : le répertoire pétillant des enfants d'aujourd'hui : *Au fil des flots, À pas de géant, À pas de velours, Vacances à tue-tête ! Comptines des animaux de la ferme*, etc.

## Collection *Comptines du monde*

Pour découvrir les comptines de tous les enfants du monde : *Comptines et berceuses de babouchka, Comptines du jardin d'Éden, Comptines et berceuses du baobab, À l'ombre de l'olivier, À l'ombre du flamboyant, Comptines et chansons du papagaio, Comptines et berceuses des rizières, Les plus belles berceuses du monde.*

## Collection *Les Petits Cousins*

Comptines bilingues en anglais, américain, allemand, espagnol, italien.

*Et d'autres albums à découvrir sur notre site :* **www.didierjeunesse.com**